Página en blanco a propósito

Published by: Christian Coffeehouse Publishers LLC

ISBN: 979-8-9868800-5-1

Publicado por: Christian Coffeehouse Publishers LLC

ISBN: 979-8-9868800-5-1

Éste cuaderno para estudio bíblico fue creado para ayudarle a edificar su relación con יהוה. Disfrute de nuestros productos adicionales, disponibles tambien en Inglés.

Próximamente disponible en Español.

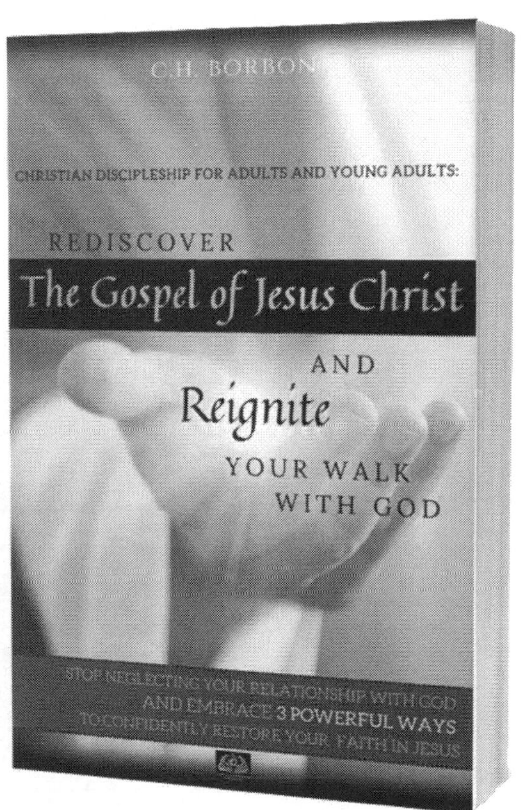

Diarios para El y Ella disponibles en Español e Inglés.
*Sólo ingresa "**christian coffeehouse**"*
en la barra de búsqueda de Amazon.com

Síganos en:

@ChristianCoffeehouse

CHRISTIAN COFFEEHOUSE
PUBLISHERS

Cuaderno de estudio bíblico

Pertenece a:

____

____

Lámpara es
a mis pies
tu palabra,

Y lumbrera
a mi camino.

Salmos 119:105

Palabras del editor

¡Felicidades!

Estudiar la biblia es un paso importante en su caminar espiritual con el Señor y nos alegramos de que haya escogido este cuaderno para iniciar su jornada.

Es nuestro deseo hacia usted que sea edificado al escudriñar las escrituras, por lo tanto, pedimos a יהוה que le acompañe en cada sesión.

Bendiciones.

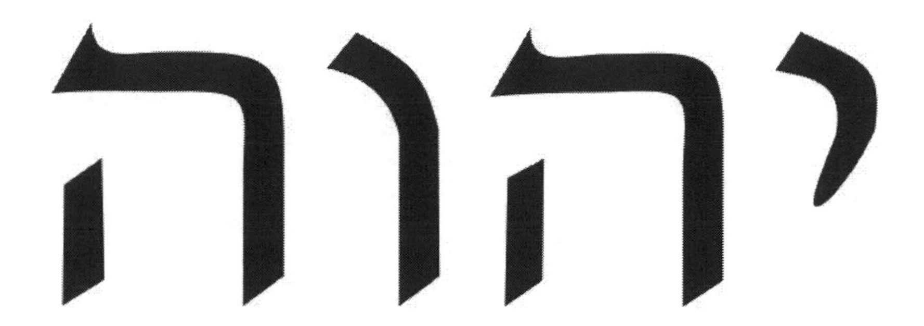

Éste es el Tetragrama Sagrado, el nombre de Dios escrito en Hebreo, su primer mención es en Génesis 2:4.

La transliteración de YHWH en español se pronuncia Jehová.

Éste nombre significa <<YO SOY EL QUE SOY>> o simplemente <<YO SOY>> tal como Jehová mismo se lo explicó a Moises (Éxodo 3:14).

Instrucciones

Primeramente recuerde que estudiar la Palabra de יהוה es una tarea personal y profunda. Siga las instrucciones para tomar ventaja de esta divertida manera de conocer más a יהוה!

Aparte de éste cuaderno, usted necesitará una biblia. Recomendamos una en físico, pero una en versión digital también funciona.

Para éstos ejercicios, escoja una fuente de información confiable. Le recomendamos las notas de los comentaristas bíblicos como David Guzik que están disponibles gratuitamente a través del sitio web <*BlueLetterBible.org*> o la applicación móvil <*Enduring Word*> en Español.

Los símbolos representan una acción.

A continuación, se le proveerá el significado de cada símbolo y un ejemplo práctico de cómo usar éste cuaderno.

- Le recomendamos que sólo estudie un capítulo a la vez.
- Es más divertido estudiar con un compañero.

Siempre ántes de comenzar, ore. Pida la guianza del Espíritu Santo para aprender. Escrito está, <*Clama a mí, y yo te responderé, y te enseñaré cosas grandes y ocultas que tú no conoces*> Jeremías 33:3

El ícono de audio es para que usted escuche la Palabra en voz alta. Puede usar cualquier biblia en audio tales como las versiones mobiles disponibles gratuitamente en la applicación YouVersion.

Ésta imagen es para recordarle que después de escuchar la pista, se ponga a leer el comentario bíblico de su preferencia.

Éste último dibujo es para señalarle el tiempo de discusión en grupo u observación individual. **No se le olvide hacer apuntes.**

Fecha Ejemplo

Tiempo de orar "La palabra de Diós se lee en el nombre del Padre, del Hijo y del Espíritu Santo, AMÉN"

Pista (Capítulo) Rut 4

Fuente Enduring Word en Español

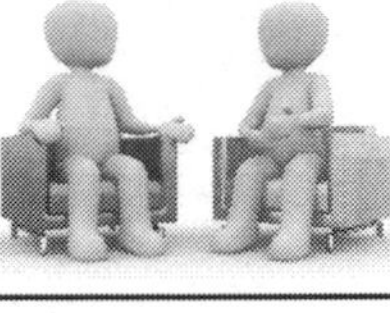

Discusión y apuntes

~~Estudiando desde casa con mi cónjyuge~~

Éste capítulo menciona algo muy interesante y hasta chistoso. De acuerdo a David Guzik, hoy aprendí que el escritor del libro de Rut prefirió usar de la palabra <fulano> en vez del nombre real de la persona puesto que "se negó a cumplir con sus obligaciones" de príncipe Israelita. Un príncipe tenia la obligación de 'rescatar', 'redimir' o 'cuidar' de su familia financieramente cuando fuese necesario (Levítico 25:45, Deuteronomio 25:5-10 y Números 35:19) como era costumbre y mandato. Claro que Booz conocía el nombre de la persona, pero éste pariente que era más cercano a Rut que el mismo Booz no quizo asumir su papel y así fue como el escritor decidió castigar al <fulano> omitiendo su nombre para que nadie se acuerde de él.

Fecha

Tiempo de orar

Pista (Capítulo)

Fuente

Discusión y apuntes

Fecha

Tiempo de orar

Pista (Capítulo)

Fuente

Discusión y apuntes

Fecha

Tiempo de orar

Pista (Capítulo)

Fuente

Discusión y apuntes

Fecha

Tiempo de orar

Pista (Capítulo)

Fuente

Discusión y apuntes

Fecha

Tiempo de orar

Pista (Capítulo)

Fuente

Discusión y apuntes

Fecha

Tiempo de orar

Pista (Capítulo)

Fuente

Discusión y apuntes

Fecha

Tiempo de orar

Pista (Capítulo)

Fuente

Discusión y apuntes

Fecha

Tiempo de orar

Pista (Capítulo)

Fuente

Discusión y apuntes

Fecha

Tiempo de orar

Pista (Capítulo)

Fuente

Discusión y apuntes

Fecha

Tiempo de orar

Pista (Capítulo)

Fuente

Discusión y apuntes

Fecha

Tiempo de orar

Pista (Capítulo)

Fuente

Discusión y apuntes

Fecha

Tiempo de orar

Pista (Capítulo)

Fuente

Discusión y apuntes

Fecha

Tiempo de orar

Pista (Capítulo)

Fuente

Discusión y apuntes

Fecha

Tiempo de orar

Pista (Capítulo)

Fuente

Discusión y apuntes

Fecha

Tiempo de orar

Pista (Capítulo)

Fuente

Discusión y apuntes

Fecha

Tiempo de orar

Pista (Capítulo)

Fuente

Discusión y apuntes

Fecha

Tiempo de orar

Pista (Capítulo)

Fuente

Discusión y apuntes

Fecha

Tiempo de orar

Pista (Capítulo)

Fuente

Discusión y apuntes

Fecha

Tiempo de orar

Pista (Capítulo)

Fuente

Discusión y apuntes

Fecha

Tiempo de orar

Pista (Capítulo)

Fuente

Discusión y apuntes

Fecha

Tiempo de orar

Pista (Capítulo)

Fuente

Discusión y apuntes

Fecha

Tiempo de orar

Pista (Capítulo)

Fuente

Discusión y apuntes

Fecha

Tiempo de orar

Pista (Capítulo)

Fuente

Discusión y apuntes

Fecha

Tiempo de orar

Pista (Capítulo)

Fuente

Discusión y apuntes

Fecha

Tiempo de orar

Pista (Capítulo)

Fuente

Discusión y apuntes

Fecha

Tiempo de orar

Pista (Capítulo)

Fuente

Discusión y apuntes

Fecha

Tiempo de orar

Pista (Capítulo)

Fuente

Discusión y apuntes

Fecha

Tiempo de orar

Pista (Capítulo)

Fuente

Discusión y apuntes

Fecha

Tiempo de orar

Pista (Capítulo)

Fuente

Discusión y apuntes

Fecha

Tiempo de orar

Pista (Capítulo)

Fuente

Discusión y apuntes

Fecha

Tiempo de orar

Pista (Capítulo)

Fuente

Discusión y apuntes

Fecha

Tiempo de orar

Pista (Capítulo)

Fuente

Discusión y apuntes

Fecha

Tiempo de orar

Pista (Capítulo)

Fuente

Discusión y apuntes

Fecha

Tiempo de orar

Pista (Capítulo)

Fuente

Discusión y apuntes

Fecha

Tiempo de orar

Pista (Capítulo)

Fuente

Discusión y apuntes

Fecha ______________________

Tiempo de orar

Pista (Capítulo)

Fuente

Discusión y apuntes

Fecha

Tiempo de orar

Pista (Capítulo)

Fuente

Discusión y apuntes

Fecha

Tiempo de orar

Pista (Capítulo)

Fuente

Discusión y apuntes

Fecha

Tiempo de orar

Pista (Capítulo)

Fuente

Discusión y apuntes

Fecha

Tiempo de orar

Pista (Capítulo)

Fuente

Discusión y apuntes

Fecha

Tiempo de orar

Pista (Capítulo)

Fuente

Discusión y apuntes

Fecha

Tiempo de orar

Pista (Capítulo)

Fuente

Discusión y apuntes

Fecha

Tiempo de orar

Pista (Capítulo)

Fuente

Discusión y apuntes

Fecha

Tiempo de orar

Pista (Capítulo)

Fuente

Discusión y apuntes

Fecha

Tiempo de orar

Pista (Capítulo)

Fuente

Discusión y apuntes

Fecha

Tiempo de orar

Pista (Capítulo)

Fuente

Discusión y apuntes

Fecha

Tiempo de orar

Pista (Capítulo)

Fuente

Discusión y apuntes

Fecha

Tiempo de orar

Pista (Capítulo)

Fuente

Discusión y apuntes

Fecha

Tiempo de orar

Pista (Capítulo)

Fuente

Discusión y apuntes

Fecha

Tiempo de orar

Pista (Capítulo)

Fuente

Discusión y apuntes

Fecha

Tiempo de orar

Pista (Capítulo)

Fuente

Discusión y apuntes

Fecha

Tiempo de orar

Pista (Capítulo)

Fuente

Discusión y apuntes

Fecha

Tiempo de orar

Pista (Capítulo)

Fuente

Discusión y apuntes

Fecha

Tiempo de orar

Pista (Capítulo)

Fuente

Discusión y apuntes

Fecha

Tiempo de orar

Pista (Capítulo)

Fuente

Discusión y apuntes

Fecha

Tiempo de orar

Pista (Capítulo)

Fuente

Discusión y apuntes

Fecha

Tiempo de orar

Pista (Capítulo)

Fuente

Discusión y apuntes

Fecha

Tiempo de orar

Pista (Capítulo)

Fuente

Discusión y apuntes

Fecha

Tiempo de orar

Pista (Capítulo)

Fuente

Discusión y apuntes

Fecha

Tiempo de orar

Pista (Capítulo)

Fuente

Discusión y apuntes

Fecha

Tiempo de orar

Pista (Capítulo)

Fuente

Discusión y apuntes

Fecha

Tiempo de orar

Pista (Capítulo)

Fuente

Discusión y apuntes

Fecha

Tiempo de orar

Pista (Capítulo)

Fuente

Discusión y apuntes

Fecha ______________________

Tiempo de orar

Pista (Capítulo)

Fuente

Discusión y apuntes

Fecha

Tiempo de orar

Pista (Capítulo)

Fuente

Discusión y apuntes

Fecha

Tiempo de orar

Pista (Capítulo)

Fuente

Discusión y apuntes

Fecha

Tiempo de orar

Pista (Capítulo)

Fuente

Discusión y apuntes

Fecha

Tiempo de orar

Pista (Capítulo)

Fuente

Discusión y apuntes

Fecha

Tiempo de orar

Pista (Capítulo)

Fuente

Discusión y apuntes

Fecha

Tiempo de orar

Pista (Capítulo)

Fuente

Discusión y apuntes

Fecha

Tiempo de orar

Pista (Capítulo)

Fuente

Discusión y apuntes

Fecha

Tiempo de orar

Pista (Capítulo)

Fuente

Discusión y apuntes

Fecha

Tiempo de orar

Pista (Capítulo)

Fuente

Discusión y apuntes

Fecha

Tiempo de orar

Pista (Capítulo)

Fuente

Discusión y apuntes

Fecha

Tiempo de orar

Pista (Capítulo)

Fuente

Discusión y apuntes

Fecha

Tiempo de orar

Pista (Capítulo)

Fuente

Discusión y apuntes

Fecha

Tiempo de orar

Pista (Capítulo)

Fuente

Discusión y apuntes

Fecha

Tiempo de orar

Pista (Capítulo)

Fuente

Discusión y apuntes

Fecha

Tiempo de orar

Pista (Capítulo)

Fuente

Discusión y apuntes

Fecha

Tiempo de orar

Pista (Capítulo)

Fuente

Discusión y apuntes

Fecha

Tiempo de orar

Pista (Capítulo)

Fuente

Discusión y apuntes

Fecha

Tiempo de orar

Pista (Capítulo)

Fuente

Discusión y apuntes

Fecha

Tiempo de orar

Pista (Capítulo)

Fuente

Discusión y apuntes

Fecha

Tiempo de orar

Pista (Capítulo)

Fuente

Discusión y apuntes

Fecha ______________________

Tiempo de orar

Pista (Capítulo)

Fuente

Discusión y apuntes

Fecha

Tiempo de orar

Pista (Capítulo)

Fuente

Discusión y apuntes

Fecha

Tiempo de orar

Pista (Capítulo)

Fuente

Discusión y apuntes

Fecha

Tiempo de orar

Pista (Capítulo)

Fuente

Discusión y apuntes

Fecha

Tiempo de orar

Pista (Capítulo)

Fuente

Discusión y apuntes

Fecha

Tiempo de orar

Pista (Capítulo)

Fuente

Discusión y apuntes

Fecha

Tiempo de orar

Pista (Capítulo)

Fuente

Discusión y apuntes

Fecha

Tiempo de orar

Pista (Capítulo)

Fuente

Discusión y apuntes

Fecha

Tiempo de orar

Pista (Capítulo)

Fuente

Discusión y apuntes

Fecha

Tiempo de orar

Pista (Capítulo)

Fuente

Discusión y apuntes

Fecha

Tiempo de orar

Pista (Capítulo)

Fuente

Discusión y apuntes

Fecha

Tiempo de orar

Pista (Capítulo)

Fuente

Discusión y apuntes

Fecha

Tiempo de orar

Pista (Capítulo)

Fuente

Discusión y apuntes

Fecha

Tiempo de orar

Pista (Capítulo)

Fuente

Discusión y apuntes

Fecha

Tiempo de orar

Pista (Capítulo)

Fuente

Discusión y apuntes

Fecha

Tiempo de orar

Pista (Capítulo)

Fuente

Discusión y apuntes

Fecha

Tiempo de orar

Pista (Capítulo)

Fuente

Discusión y apuntes

Fecha

Tiempo de orar

Pista (Capítulo)

Fuente

Discusión y apuntes

Fecha

Tiempo de orar

Pista (Capítulo)

Fuente

Discusión y apuntes

Fecha

Tiempo de orar

Pista (Capítulo)

Fuente

Discusión y apuntes

Fecha

Tiempo de orar

Pista (Capítulo)

Fuente

Discusión y apuntes

Fecha

Tiempo de orar

Pista (Capítulo)

Fuente

Discusión y apuntes

Fecha

Tiempo de orar

Pista (Capítulo)

Fuente

Discusión y apuntes

Fecha

Tiempo de orar

Pista (Capítulo)

Fuente

Discusión y apuntes

Fecha

Tiempo de orar

Pista (Capítulo)

Fuente

Discusión y apuntes

Fecha ______________________

Tiempo de orar

Pista (Capítulo)

Fuente

Discusión y apuntes

Fecha

Tiempo de orar

Pista (Capítulo)

Fuente

Discusión y apuntes

Fecha

Tiempo de orar

Pista (Capítulo)

Fuente

Discusión y apuntes

Fecha

Tiempo de orar

Pista (Capítulo)

Fuente

Discusión y apuntes

Fecha ______________________

Tiempo de orar

Pista (Capítulo)

Fuente

Discusión y apuntes

Fecha ______________________

Tiempo de orar

Pista (Capítulo)

Fuente

Discusión y apuntes

Fecha

Tiempo de orar

Pista (Capítulo)

Fuente

Discusión y apuntes

Fecha

Tiempo de orar

Pista (Capítulo)

Fuente

Discusión y apuntes

Fecha

Tiempo de orar

Pista (Capítulo)

Fuente

Discusión y apuntes

Fecha ______________________

Tiempo de orar

Pista (Capítulo)

Fuente

Discusión y apuntes

Fecha

Tiempo de orar

Pista (Capítulo)

Fuente

Discusión y apuntes

Toda la Escritura es inspirada por Dios, y útil para enseñar, para redargüir, para corregir, para instruir en justicia, a fin de que el hombre de Dios sea perfecto, enteramente preparado para toda buena obra.

2 *Timoteo* 3:16-17

"Porque todos valemos para Dios"

Christian Coffeehouse Publishers opera bajo el apoyo espirtual de ***Iglesia El Verbo.*** Porfavor visite ***iglesiaelverbo.com*** para conocer más acerca de éste ministerio.

¡Conéctate con nosotros!

@elverboutah

@iglesiaelverboogdenutah3348

¡Sintonice nuestro podcast en su plataforma favorita!

@iglesiaelverbo

Made in United States
Orlando, FL
06 January 2023